El tulipán arco iris

POR

PAT MORA

ILUSTRADO POR

ELIZABETH SAYLES

SCHOLASTIC INC.
New York Toronto London Auckland Sydney
Mexico City New Delhi Hong Kong Buenos Aires

Originally published in English
as *The Rainbow Tulip*

Translated by Elvira Ortiz

ISBN 0-439-55621-X

12 11 10 9 8 7 6 5 4 3 2   3 4 5 6 7 8/0

Printed in the U.S.A.   66

First Scholastic Spanish printing, November 2003

Set in Goudy

A mi primera editora, mi madre maravillosa, Estela Mora
—P. M.

A mis abuelos, Fannie, Nathan, Bessie y Alexander,
que llegaron a Estados Unidos hace mucho tiempo
—E. S.

Cada mañana, mamá me da una gran cucharada del espeso
y amarillento aceite de hígado de bacalao. Piensa que estoy muy
delgada. Dice que si soplase el viento del desierto, me llevaría
volando.

Mis hermanos y yo desayunamos con mamá y papá antes de
ir a la escuela. Yo soy la mayor.

Papá nos da un abrazo y nos dice: "Buenos días, hijos". Mamá
y papá vinieron de México a este país. No saben hablar inglés.

Mis hermanos y yo hablamos inglés fuera de casa y español
en casa. Papá me dice: "Hija, esta casa es un pedazo de México".

En casa me llaman Estelita. En la escuela me llaman Stella. Mamá me lleva a la escuela. Le gusta tomarme de la mano.

—Mamá, yo puedo ir sola a la escuela —le digo—. Ya soy grande. Estoy en primer grado.

—Sí, sí, Estelita —me dice mamá, pero me aprieta aún más fuerte la mano.

Mi mamá no es como las otras mamás. Todos nuestros vecinos hablan inglés, no hablan español como mamá. Mamá no se maquilla. Se recoge el cabello en un moño y sus vestidos son largos. No se viste con colores alegres y brillantes. Le gusta vestirse de negro, café, gris y algunas veces de azul claro. Mamá es callada como los colores que usa.

—Mamá —le digo—, cuando sea grande, me compraré vestidos rojos.

—Ay, qué muchacha —responde mi mamá, reprimiendo la risa.

—De verdad —le digo—. Me compraré zapatos rojos lustrosos, sombreros con plumas y vestidos verdes y morados. Tendré todos los colores en mi armario.

—Sí, sí —dice mi mamá y sonríe con su sonrisa apacible.

Me gusta mucho mi escuela. Me gustan mis amigos y mi maestra, la Sra. Douglas. También le caigo bien a ella. Siempre alzo mi mano para responder las preguntas. La Sra. Douglas me deja borrar el pizarrón al final del día. Mamá y su sonrisa siempre me esperan.

En casa, mis hermanos y yo hacemos carreras con nuestros vecinos. Cuando tengo hambre, me voy a casa. Mi casa es tranquila. A papá le gusta leer libros. Afuera, mis hermanos y yo gritamos y corremos, pero adentro no gritamos.

Mientras mamá cocina, tomo lentamente helado de limón. El helado de limón es dulce y agrio. Se desliza por mi garganta. Lo tomo muy lentamente para que me dure más.

—Ay, qué muchacha —dice mamá, dándome palmaditas en la mano.

Un día, la maestra nos dice: "Pronto, nuestra clase participará en el Desfile de Mayo. Las niñas serán tulipanes y los niños vestirán camisas blancas y pantalones. Por favor, lleven esta carta a sus casas para que sus padres sepan lo que ustedes van a necesitar".

En el camino a casa, le digo a mamá:

—Mamá, necesito un disfraz de tulipán.

—Vamos a visitar a tu tía Carmen —responde mamá—, que hace unos vestidos preciosos. Estelita, ¿quieres ser un tulipán amarillo?

—No —le digo.

—¿Quieres ser un tulipán rosado? —me pregunta mamá.

—No —le respondo.

—Estelita —me dice mamá—, ¿de qué color quieres que sea tu tulipán?

—Quiero ser un tulipán amarillo y rosado y verde y morado —le respondo—. Quiero que mi disfraz tenga todos los colores de la primavera.

Visitamos a mi tía que hace vestidos de novia y vestidos de fiesta.

—Buenas tardes, tía Carmen —le digo dándole un abrazo.

Mi tía me muestra un arco iris de hilos y nubes de tela. Me toma medidas y me dice que seré el tulipán más lindo de todo el mundo.

En la escuela, la maestra nos enseña a entretejer las cintas del poste de mayo. Nos pregunta si nuestros disfraces de tulipán ya están casi listos. Asiento con la cabeza.

El día del Desfile de Mayo, soy la primera de la casa en levantarme. Me pongo mi disfraz. Me miro en el espejo y sonrío.

Desayuno de pie. No quiero que se arruguen mis pétalos. Mis hermanos dicen que me veo ridícula. Papá los mira frunciendo el ceño y ellos se callan. Él era juez en México. Nunca grita, pero cuando te mira, te comportas bien. Yo le sonrío. A él le gusta mi disfraz.

Mamá me da un suéter. Ella siempre piensa que hace frío.

—¡Ay, mamá! —le digo—. No puedo ponérmelo encima del disfraz. Quiero que todos lo vean. Vámonos.

Mis amigas me saludan en el patio, pero no me parezco a ellas. Betsy es un tulipán amarillo. Luisa es un tulipán rosado. Frances es un tulipán azul. Quisiera esconderme como un caracol. Mis manos están muy calientes. Le digo adiós a mamá con la mano.

Mis amigas y yo nos decimos: *"Oh, you look so pretty!"*. "¡Oh, te ves preciosa!", pero yo quisiera esconderme como un caracol.

Tengo miedo de ver a mi maestra. ¿Y si ella se ríe de mí?
¿Y si ella quiere hablar con mamá? Entro lentamente en el salón
de clases.

La maestra está muy ocupada. Cuando me ve, sonríe y dice:
"Stella is our rainbow tulip". "Estela es nuestro tulipán arco iris".
Algunos niños se ríen. Yo trato de sonreír, pero no puedo.

A la hora del desfile, nos asomamos a la ventana y vemos a
las mamás y los papás en el patio de recreo. Busco a mamá.
Sé que estará sola porque no puede hablar con los otros papás
y mamás.

La banda de la escuela comienza a tocar y marchamos al patio.
Todos los padres aplauden. Algunas personas señalan mi disfraz
arco iris. Yo trato de sonreír.

Cuando paso junto a mamá, trata de darme un suéter y dice:
"Estelita, hace frío".

Hago a un lado el suéter. Cómo me gustaría que mamá aprendiese inglés. Me gustaría que fuera como las otras mamás, con maquillaje y vestidos cortos.

Empezamos a entretejer las cintas del poste de mayo. Todos nos observan. Mis hermanitos me miran. No les quiero mostrar que tengo miedo porque soy la mayor.

Entonces veo a mamá y su sonrisa apacible. Sé que está orgullosa de mí, y me paro muy derecha. Yo también le sonrío. Me acuerdo de cada paso de la danza y ayudo a mis amigas que se han olvidado de algo. Mi maestra y el director me sonríen. Cuando la clase hace la reverencia, mamá aplaude sin cesar.

La maestra pone su brazo alrededor de mis hombros.

—*Stella, you are my only rainbow tulip* —me dice. "Eres mi único tulipán arco iris".

Busco a mi mamá para que conozca a mi maestra.

—*How do you do, Mrs. Delgado* —dice la maestra. "¿Cómo está usted, Sra. Delgado?".

Mi mamá saluda con la cabeza y sonríe con su sonrisa apacible. Cómo me gustaría que la maestra hablase español. Me gustaría que le dijese a mamá que siempre levanto la mano en la escuela.

Hace un viento frío. Me pongo el suéter que me trajo mamá. Es suave y abriga. Tomo la mano de mamá. También es suave y cálida. Les digo adiós a mis amigos con la mano.

En casa, sirvo helado de limón para mamá y para mí, y las dos nos sentamos en la terraza.

—Me gusta tu disfraz, Estelita —dice mamá.

—Mamá, me gustó ser el único tulipán arco iris, pero no fue fácil —le digo.

—Es difícil ser diferente —dice mamá—. Es dulce y agrio, como tu helado.

—Mamá —le digo—, cuéntame otra vez de nuestra familia.

Mamá me cuenta que su papá era un capitán español y que su mamá creció en México.

—Algún día iré a México y a España —le digo.

—¡Ay, qué muchacha! —responde mamá, reprimiendo su risa mientras me da palmaditas en la mano.

—De verdad —digo, apoyándome en mi mamá, mi callada mamá.

Tomamos lentamente el helado, muy lentamente.

ACERCA DE ESTE LIBRO

"Cuéntame del Desfile de Mayo", le digo a mamá que ya tiene 70 años. Se ríe y dice: "Oh, el cuento del tulipán arco iris". Enciendo la grabadora y me siento para disfrutar de la cara animada y la voz de mamá que me transportan a la ciudad fronteriza de El Paso, Texas, donde nacieron ella, sus hijos y mis hijos.

Mamá nació en la década de 1920. Sus padres, Sotero Amelia Landavazo y el juez de distrito, Eduardo Luis Delgado, llegaron a El Paso durante la Revolución Mexicana de 1910.

Me encanta esta foto de mi mamá cuando era niña con su mamá, Amelia Delgado, una mujer callada y una de las personas más amables que he conocido.

Entre 1880 y la Gran Depresión, aproximadamente un millón de mexicanos entraron en Estados Unidos. Muchos llegaron primero a El Paso, "extranjeros en su propia tierra", según las palabras del historiador Ronald Takaki, ya que hasta 1848 ese territorio había sido mexicano. Cruzaron un desierto en lugar de un océano. Al igual que mis abuelos, muchos mexicanos se quedaron en este país y se convirtieron en ciudadanos productivos, orgullosos de su doble herencia.

Es un placer haber escrito un recuerdo familiar, y también escuchar las historias de mis familiares, sus voces bilingües, sus enseñanzas, sus canciones, sus chistes. ¿Y tú? ¿Has hecho tu árbol genealógico y has descubierto el tesoro de historias de tu familia?

—P. M.